Ein Nord-Süd Bilderbuch

Lars, der kleine Eisbär, geht auf eine ungewollte Reise.
Als er sich fröhlich im Meer tummelt, wird er mit
einem Fischernetz auf ein Schiff gehievt.
Dort kann er sich befreien und lernt Nemo, eine
rote Schiffskatze, kennen. Sein neuer Freund
weiß einen Weg, wie Lars wieder zu seinen
Eltern am Nordpol zurückkehren kann.

ISBN 3 314 00528 8

Bisher erschienen:

Fröhlich jagte Lars durch den Schnee nach Hause. »Vater! Mutter! Ich bin's, ich bin zurück!« rief er von weitem und rannte direkt in Mutter Eisbärs Arme.

Aufgeregt erzählte er von seiner ungewollten Reise auf dem Schiff und von Nemo. »Schaut, so sieht Nemo aus« lachte Lars und stellte sich wie eine Katze vor die staunenden Eltern.

Diese Nacht schliefen sie alle drei dicht beisammen.

Lars spielte bald wieder so fröhlich wie zuvor. Doch Vater Eisbär sah ihn oft am Rand des Eises sitzen und aufs Meer hinausblicken.

»Nach was hältst du Ausschau?«

»Nach einem Schiff und einem Freund«, sagte Lars sanft und lächelte.

Jede Nacht stand Lars an der Reling und hielt Ausschau nach Land. Endlich, nach drei Tagen, sah er einen weißen Streifen am Horizont.

»Johnny, schau! Schnee und Eis! Da bin ich zu Hause!« rief Lars freudig. »So weiß sah ich früher aus!« fügte er lachend hinzu.

Als das Schiff Anker warf, wurde Lars ganz zappelig. »Ich werde hinunterspringen und an Land schwimmen«, meinte er. Aber Johnny riet ihm, an der Ankerkette hinunterzugleiten und keinen Lärm zu machen.

»Ade, Johnny, und vielen Dank!« rief Lars, als er über die Reling kletterte. Dann rutschte er hinunter ins Wasser und schwamm vergnügt dem Ufer zu.

Jetzt, da es auf die Heimreise ging, rannte Lars übermütig voraus. Auf einer breiten Straße wurde er von einem Lastwagen erschreckt. Von nun an lief Lars doch wieder hinter den Katzen her.

»Lieber Nemo, leb wohl!« sagte Lars traurig, als sie beim Schiff angelangt waren.

»Komm schnell«, unterbrach Johnny, »sonst sieht dich jemand, und dann kommst du nie an deinen Nordpol!«

Lars rannte los. Doch mitten auf dem Laufsteg drehte er sich noch einmal um und blickte zu Nemo hinunter: »Leb wohl, Nemo!«

Er hörte nur noch ein trauriges »Miau!«

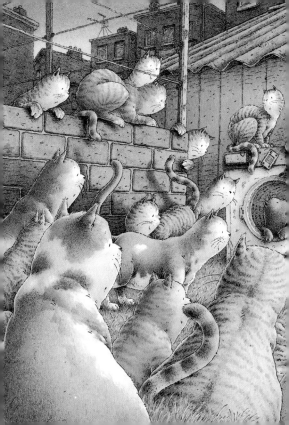

Lars ging hinter Nemo her. Es war nicht leicht für ihn, der Katze zu folgen, denn sie mußten viele Hindernisse überwinden. Noch nie zuvor war Lars auf einer Mauer gegangen!

»Wir sind da«, sagte Nemo plötzlich und sprang voraus. Lars zögerte. Aus dem Dunkel schauten ihn so viele funkelnde Augen an. »Komm, Lars, hab keine Angst. Meine Freunde tun dir nichts«, rief Nemo. Als Lars näher kam, sah er sich einer Meute Schiffskatzen gegenüber. Sie schauten ihn neugierig an. Keine hatte je einen Eisbären gesehen.

Nemo erzählte seinen Freunden nun von Lars' ungewolltem Abenteuer. »Lars möchte ganz schnell wieder nach Hause, an den Nordpol. Wer von euch fährt dorthin?« Eine schwarzweiße Katze meldete sich.

»Gut Johnny, das ist fein«, sagte Nemo.

Lars und Nemo gingen am Ufer entlang. Puh, wie war das Wasser schmutzig! Hier wollte Lars lieber nicht schwimmen. Leise schlichen sie durch die dreckigen Gassen und Hinterhöfe. Wehmütig dachte er an sein weißes Zuhause.

Eines Nachts entdeckte Lars plötzlich viele kleine Lichter in der Ferne.

»Das ist der Hafen«, sagte Nemo.

Noch in derselben Nacht schlichen sie über den Laufsteg an Land. Es war totenstill.

»Hoffentlich sieht uns niemand«, flüsterte Nemo besorgt. Doch Lars verstand ihn nicht, sein Herz pochte viel zu laut vor Aufregung.

»Ich bin Lars, der kleine Eisbär, und ich muß sofort nach Hause. Vater und Mutter machen sich Sorgen um mich«, begann er und erzählte, wie er auf das Schiff gekommen war.

»So rasch wird das nicht möglich sein, Lars«, antwortete die Katze. »Wir sind schon weit weg vom Nordpol. Aber mach dir keine Sorgen. Sobald wir im nächsten Hafen sind, treffen wir meine Freunde, die Schiffskatzen. Eine davon lebt sicher auf einem Schiff, das zum Nordpol fährt. Aber jetzt versteckst du dich besser. Es darf dich hier niemand sehen.«

Erst als es finstere Nacht war, kroch Lars wieder an Deck. Zusammen schauten sie über das endlose Wasser. Sie erzählten einander aus ihrem Leben. Bald schlief Lars neben Nemo ein.

Lars tappte weiter durch den Gang. Irgendwo mußte es doch einen Weg ins Freie geben! Endlich roch er frische Luft. Er rannte los, doch plötzlich raschelte etwas hinter ihm. Erschrocken drehte er sich um. Zwei leuchtende Augen starrten ihn an.

Lars rannte davon und versteckte sich an Deck. Da hörte er eine freundliche Stimme: »Du mußt keine Angst vor mir haben. Ich bin Nemo, die Schiffskatze.«

Lars sah ein gutmütiges Tier mit rotem Fell und einem langen Schwanz. Da verlor Lars alle Angst.

Das Netz wurde in den Bauch des Schiffes geleert. Lars zappelte wie wild, bis er über die zahllosen Fische hinwegschauen konnte. Wie kam er hier bloß wieder hinaus? Nirgends gab es eine Öffnung. Da entdeckte Lars eine Leiter und kletterte rasch hoch. Er lief einen dunklen Gang entlang. Endlich konnte er durch ein kleines rundes Fenster hinausschauen: Er sah nichts als Wellen und dunkle Nacht. Lars sehnte sich nach Eis und Schnee, seinem Zuhause.

Nach den fröhlichen Spielen hatte Lars Hunger.
Er wollte nach Hause. Als er dem Ufer zu schwamm,
hielt ihn plötzlich etwas fest. Er kam nicht mehr
vorwärts, wie sehr er sich auch anstrengte. Und
bald konnte er nichts mehr sehen, denn rings um
ihn waren Fische. Dann gab es einen Ruck.

Mit Hunderten von Fischen war Lars in einem
großen Netz gefangen und in die Luft gehoben
worden.

Am Nordpol gibt es nur Eis und Schnee. Lars, dem kleinen Eisbären, gefiel das. Er liebte es, im Schnee herumzutollen, auf Eisberge zu klettern und wieder hinunterzurutschen.

Doch am liebsten lag Lars im Wasser und ließ sich von den Wellen treiben. So auch heute.

Kleiner Eisbär
komm bald wieder!

Eine Geschichte mit Bildern von
Hans de Beer

Nord-Süd Verlag